U0064391

劉福春・李怡 主編

民國文學珍稀文獻集成

第一輯

新詩舊集影印叢編　第39冊

【謝采江卷】

野火

保定：三塊協社 1923 年 10 月版

謝采江 著

夢痕

北京：明報社 1926 年 1 月版

謝采江 著

花木蘭文化出版社

國家圖書館出版品預行編目資料

野火／夢痕／謝采江 著 -- 初版 -- 新北市：花木蘭文化出版社，2016

〔民 105〕

156 面／34 面；19 ×26 公分

（民國文學珍稀文獻集成・第一輯・新詩舊集影印叢編 第 39 冊）

ISBN：978-986-404-622-5（套書精裝）

831.8 105002931

ISBN-978-986-404-622-5

9 789864 046225

民國文學珍稀文獻集成・第一輯・新詩舊集影印叢編（1-50 冊）

第 39 冊

野火
夢痕

著　者 謝采江
主　編 劉福春、李怡
企　劃 首都師範大學中國詩歌研究中心
北京師範大學民國歷史文化與文學研究中心
（臺灣）政治大學民國歷史文化與文學研究中心
總編輯 杜潔祥
副總編輯 楊嘉樂
編　輯 許郁翎
出　版 花木蘭文化出版社
社　長 高小娟
聯絡地址 235 新北市中和區中安街七二號十三樓
電話：02-2923-1455／傳眞：02-2923-1452
網　址 http://www.huamulan.tw 信箱 hml 810518@gmail.com
印　刷 普羅文化出版廣告事業
初　版 2016 年 4 月
定　價 第一輯 1-50 冊（精裝）新台幣 120,000 元

野火

謝采江 著

謝采江，生平不詳。

三塊協社（保定）一九二三年十月出版。原書六十四開。

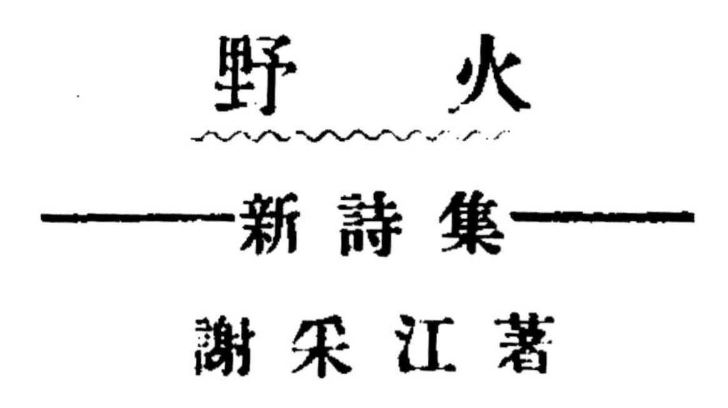

野火

——新詩集——

謝采江著

野火目錄——

(1)

(2)

(8)

卷頭語

這是沙漠裏小螞蟻的呼喊，
如此微弱的聲音教誰聽？
誰又聽得見呢！

序詩

（一）

詩呵！
我快樂了向你說說，
我憂愁了向你說說，
我勞苦了便躲在你的花園裏來休息：
你眞是我的好朋友！

（二）

（2）

筆下抄旁人的詩，
心中想自己的詩，
結果誰也當不了誰的。

(4)

潘序

藝術中最高妙的是音樂；最笨重的是文學。文學所用的工具——文字，太生硬了，太呆板了，捉不住人們隱約飄忽的遐想，合不上人們細微曲折的幽思。但文學家偏有能力運用這副生硬而又呆板的工具，終於使他們的作品有和音樂一樣的高妙。這作品就是他們的詩詞。

詩詞是什麼？詩詞是文學中和音樂一樣高妙的藝術。藝術是什麼？我們且請托爾斯泰來回答，他在他的藝術論裏說：

「……藝術是人類交際方法之一，

「……爲人傳播自己所受的情感於別人起見，從新把那情感引出來，用一定的外物（行動，線，顏色，聲音言語等等）所表現牠，

（2）

「一人感受些喜樂憂懼的情感，便用：等等形容出來，使別人染得，而經過來所他經過的情感。」

簡括一句能使用一種外物，把自己所感受的情感表現出來，使別人由此也能經驗自己所經驗的情感，這就是，并且才是，藝術。

詩詞所使用的外物是文字。文字是生硬而又呆板的。如果除使用文字外再沒有旁的東西，詩詞就不能和音樂一樣的高妙了。這旁的東西是什麼？我們再請胡適之先生來回答，他在他的談新詩一文裏說：

「凡是好詩，都是具體的；越偏向具體的，越有詩意詩味。……凡是抽象的材料，格外應該用具體的寫法。」

大概情感是一件不易捉摸的東西，不像智識

（4）

那樣只用文字即可以完完整整的你傳給我，我傳他。用了具體寫法，就不用我們來說話，可一任讀者自己到所寫的具體事物裏，慢慢咀嚼，細細的領略我們所要傳播的那種情感。

采江謝先生，把他積聚了一年多的一本詩集，野火，給我看，并且要我對他這詩集說幾句話。我生平只知看詩，不知做詩；怎配評詩？但我把他這詩集不知不覺的看了一遍，兩遍，三遍之後，到有使我顧不得外行內行而要說出幾句話。我覺得「采江」的詩，是能使我們由此也能經驗他所經驗的情感的。我們且看

「落日斜照到秋柳上，

看哪，

黃葉要在殘光中飛舞了！」

(6)

及

「無力的細柳！

懶懶的隨風俯仰，

你是沐着自然的恩惠嗎？」

的兩首詩，我們不山此也感到自然的偉大和

嫵媚嗎？再看

「失意的青年人！

不要煩惱，

你在她不許可的期間，
細嘗愛的滋味吧！」

及

「小弟弟下學了，
放下書包就拍皮球。
她停針看了看窗上的日影，
回身只呆呆的微笑着……」

兩首詩時，我們不又由此也感到頰上，胸前

（8）

，心裏，有一種熱烘烘，昏沈沈的東西，在那裏顫動嗎？

不但如此，我覺得他最好的地方，還在他的善用具體的寫法以表出抽象的遐想。如星兒第三節

「眞妙呀！

你們每位只顯一點光明，

便把天空點綴的這般燦爛！」

(9)

和月份牌

「我們把他天天扯一張，

他就永遠是新的；

我們若好幾天不扯他，

他就不適用了！」

及

「身上的泥垢是常常有的，

我們只得隨時洗去！」

(10)

等詩，眞是「言近而旨遠；」所用只幾個字，所表的又都是一種很抽象的觀念，而所給我們的印象却何等明瞭，何等深刻！又如送日第二節

「你快到西半球去吧，
　那邊也有萬衆的生靈，
　　在黑暗中等着呢！」

把一種博大的同情心寫得何等具體。

(11)

例子已舉夠了，我不能再往下舉了。好在采江已把這詩集付印，且讓讀者一首一首去慢慢的咀嚼，細細的領略吧。現在再引他的一首野火來結束這篇文字：——

「沉寂黑暗的曠野中，
是誰點着了一把小草？
那明滅無定的火焰
也許能將行人引上應走的大道？」

(12)

十二，六，十，潘梓年於保定。

(14)

沈序

野火這一小册，是血的晶，是淚的痕，是心弦鼓動的音，是命脈震蕩的波。怎麼說呢？

軟紅十丈，是否係人們寄足的田園？黃土三尺，是否爲人們歸宿的家鄉？在功利唯物的時勢下，肉體和靈魂感覺到煩惱疲倦；把悽慘的死之幻影，每每一瞬間的盤旋反覆，也是人們不可免的現象。數十年的喜怒哀樂，在生命的歷程中，不過剎那一夢。沉溺的世人，却是總跳不出這個圈子！

圈子外是否另有一個美滿的世界？雖然不可知；但性靈中的人必有一種反抗那樣時勢的毅力，從俗衆的，塵囂的生活裏逃脫出來，而隱到那光明之宇，琉璃之台，象牙之塔：這正是性靈中的人的領域。在其中可以顯

（2）

闡出孤寂而清，超妙而靈的意境來，所謂莊嚴燦爛的藝術之宮啊！

藝術的目的絕不是娛樂；詩是藝術的結核，尤其不是娛樂。純粹的詩人，由俗衆的生活裡躲避出來，決不是厭生的意味。他只是反對那無明的人生的妄執，極端的物質的欲求和歡樂的甘味；而要求一切的新的感觸，新的覺悟：這種的詩人，是眞眞了解人生的

(3)

意義，從過去的歷史，反省現在的環境，而推測將來的新之道路。人們要深知人生意味，必須是愛自己。詩人對於自己的人生，爲熱烈的愛慕者，同時對於社會上的悲哀，也必定抱一種沉痛的冷觀態度。這種精神，是消極的積極，並不是積極的消極；自然和世上所謂厭生家不同，即和東西洋的世外閒人哪，風流人啦，中國舊派的風雅之士，新派

（4）

的超人也是全然異趣。

詩人的詩，絕不用風雲月露，芳艸美人來裝點門面；只是人類的優美的理想，自己的精密的思潮，和熱烈的情緒的最高潔的外現。所以他的詩是生命的補劑，靈魂的戟刺。

采江的詩，是詩人的詩。他的詩境，是情熱的痛哭，是含淚的微笑，是陶醉於靈肉一致的印象。因爲他是一個詩人，所以他的詩，每句每字沒有不受過心靈的懇求而寫出來的。那末我說他的作品，是血和淚的結晶，決不爲過。

我於藝術、完全是門外漢，尤其是詩。朱江却要逼做序，我只得把他那首孤獨者的詩，寫在下面，來代表這野火的全豹；的而實我的主行：

那是我的歸宿。

（6）

望着天涯，
指着海上！
誰是我的伴侶？
擦着眼淚，
對着影兒！

一九二三，五，十八，沈子韶。

(7)

(8)

耿序

野火的作者，是我在中學時一個知己的朋友。他自幼家貧，遭遇又多不幸；但他有一種酷愛文學的天性。他的感情極豐富，心思極緻密；而且他又有一種獻身的勇氣，把文學當作他的生命；所以他的心之所感想，耳目之所接觸，都是詩料。

他一旦從自然或人生中獲一斷片，便努力

鎔鑄，使成功一個作品。這個作品，便是他的生命之花；所以他對於這花的生長開放，極盡精神的愛惜，而更希望得旁人一種心靈的賞鑑。

野火是謝君采江的「生命之花叢」。這個花叢的各個花朵，或代表他一種深痛的情感，或代表他一種幽微的想像；這些花的形狀，色彩，芳香，又便是他的文學的藝術——利落

（2）

，簡潔，響亮—的映照了。

十二，六，六，耿肇璘作于正定中學。

（4）

自序

我學作詩，受冰心女士的詩——尤其是繁星，春水——的影響最大。但因爲個性的關係，結果我的作品和她的作品是大不相同。

自民國十一年正月起，至今十二年四月止，共得詩二百餘首。自已細選擇了選擇，把那覺着太不好的全刪了去，還賸九十餘首。因爲藝術淺薄，作品幼稚，原打算不發表；友人沈子詔先生極力鼓勵，以爲現在吾國文藝界正寂寞，國民的精神正鬧飢荒，只要不是走錯了道路的人，他的作品，無論工拙，全有供獻到社會上的必要；吾於是大胆的發表了。

有人說：「你這詩讀不上口。」我說：「我這詩是我心絃上振動出來的聲音，只要能惹起你心絃的「共鳴」，就够了！不期望你

(2)

在嘴上瞎哼哼。戲裏邊有「啞劇」，你就說我這詩是「啞詩」，也未嘗不可。

有人說：「你這詩字句太粗陋」。我說：「人喜歡了，就說幾句快樂話；人煩惱了，就說幾句憂愁話：說話的時候，已經情急了，一定不暇講修詞。這詩是從我心裏叫出來的快樂和憂愁，對於「字斟句酌」上，也是顧不的呀」！

精神麻木，沒有「人的覺悟」的人們，只能用感官受強烈的，不正當的刺激；不能用心官嘗微妙的，純潔的滋味。那我除了請求他先喚醒了自已的靈魂以外，還有什麼法子來領着他去欣賞「人的藝術品」？

朋友們！如今眞正的詩，不是人生外部的遊覽，是人生內部的咀嚼！

一九二三，四，七，謝采江序于保定

(4)

育德中學校。

（6）

野火

（一）

沉寂黑暗的曠野中，
是誰點着了一把小草？
那明滅無定的火焰，
也許將行人引上應走的大道？

（二）

林際的燈，

穿窗的月，
　黑暗中
　　靜密密的給人許多喜悅，
哦，你們便是生使者！

（三）

落日斜照到秋柳上，
看哪，
黃葉要在殘光中飛舞了！

（2）

（四）

無力的細柳，
懶懶的隨風俯仰，
你是沐着自然的恩惠嗎？

（五）

高樓上的智慧者！
不要悠揚的品簫咧，
柴門草舍中的居民聽不着，

（3）

夕陽古道上的旅客聽倦了！

（六）

窗戶開了，
秋虫集滿了電燈泡。
你們是愛熱度？
是喜光明？

（七）

朋友們！

（4）

快快浸在淚海裏吧，
那里
可以聽見世人沒有聽見的話，
可以知道世人未曾知道的事。

（八）

身上的泥垢是常常有的，
我們只得隨時洗去！

（九）

只有遠村的鷄聲，
能使心中空闊，
忘了悲愁。

（十）

細風吹着我，
我望着月亮，
月亮又特別的照着誰呢？

（十一）

（6）

失意的青年人！
　不要煩惱；
你在她不許可的期間，
　細嘗愛的滋味吧！

（十二）

月亮！
　不要驕傲；
那些閃閃的星兒們，

本體都比你大！

（十三）

盡貪心去玩賞自然吧，
絕沒人干涉你！

（十四）

戀愛何必實現呢？
想像的情人永遠不會老的。

（十五）

（8）

風箏被大風吹起了，
將來到什麼地方她不知道，
只是低頭看着人們。

（十六）

人格呵！
不要尋找人吧，
人們全怕你！
因爲得着你以後，

不是餓死便是凍死！

（十七）

一曲的歌唱，

一陣的詛咒，

幾句的應酬，

那音波的顫動中，

全帶着不得已的悲哀！

（十八）

(10)

沒見面的不說了，
只見過一兩次面的不算，
就是這常常見面的，
到底誰認識誰？

（十九）

什麽話最能使人下淚呢？
臨命的囑託，
傷心的懺悔。

（11）

（二十）

同是制度的犧牲品罷

偏要說：

這是甲國，

那是乙國，

你屬A族，

我屬B族。

（三十一）

(12)

思想的潮流平靜點吧，
　恐怕翻了她在我心湖中
　　盪漾着的小舟！

（二十二）

情絲這般的無賴，
　不是去粘花，
　就是去惹草，
那如纏住自已，

像蠶兒是的作成一個繭！

（二十三）

只是風一拂露一滴罷了，
但谷底的小草那能享受？
自然呵，
你怎麼這樣吝嗇？

（二十四）

不要迷信，

(14)

省了後來受恐怖！

（二十五）

人生的道路好像「活動紙」
自洒上血和淚後，
花紋雖有了，
却高低不平起來！

（二十六）

冬日城角邊的叫花子，

死後倒顯出微微的笑容；
或者靈魂正在說：
「上帝呵！感謝你，
替我斬除了痛苦的根蒂！」

（二十七）

沸騰的水
離開火便凍了冰；
預言的哲學家說：

(16)

「這不算
到人心全凝結的時候，
才是最後的冷呢！」

（二十八）

嗚嗚嗚，汽車過去了；
道旁滾倒的孩子，
爬起來忽忽的喘，
好像要飽嘗電油的氣味。

（二十九）

小孩們的啼哭吵鬧，
如果是父母的安慰：
那末人類的啼哭吵鬧，
也是宇宙的安慰了？

（三十）

雨地上，
拉人力車的不怕淋嗎？

(18)

帳子只能遮住坐車的！

（三十一）

慾火呵！
不要煎燒咧，
愛的心泉
眼看就乾了！

（三十二）

雲彩飛着，

柳絲舞着，
盲目的風呵！
這正是你得意的時候吧？

安慰

孩子！
隨着爹媽走就是了，
何必另外還找家？

(20)

孩子！
你爹是一個漂泊的詩人，
那里有準家？
孩子；
到處可以遇見游戲的伴兒，
幹什麼非家中的兄弟全不可？

送日

一天的歡聚又要分離了，
今夜的凄涼教我們怎麼度？

你快到西半球去吧，
那邊也有萬衆的生靈，
在黑暗中等着呢！

(22)

何必臨別時紅暈了臉，
　莫非你愛旁人去，
　　還怕我們嫉妒？

你去吧，你去吧！
　明日再來時
給我們多帶光明來！

星兒

你們離我太遠了，
所以只看見一點一點的光明！
你們的本體有多大，
我不知道；
就這一點一點的光明，
已够使我崇拜了！

(24)

眞妙呵！
你們每位只顯一點光明，
便把天空點綴的這樣燦爛！
你們直把眼一閃一閃的，
是瞧不淸地上的黑暗嗎？

告別

就此別了吧！

無論識與不識，
全受過我幾十年的羡慕，
那能不告知一聲。
中間是陷人的溝，
四面圍着偵探的槍，
只能無言對泣，
死聚何如生離？

(26)

說到我欲去的 地方，
是天上也許是人間。
那里沒什麼人和物的界限，
一哭也可得安慰，
一笑也可得安慰。

別了，別了！

白帆的小船
在汪洋的水邊等着我呢。

崇拜

誰不崇拜學者呢？
我却是一個無知的。
誰不崇拜富翁呢？
我却是一個貧乏的。
誰不崇拜英雄呢？

(28)

我却是一個怯懦的。
你們崇拜只管崇拜吧，
但不要拿欺凌我作崇拜的禮物！

我的心

我的心如流水，
稍有細風，
便起了波紋。

我的心如游絲，
稍有微塵，
便動了牽掛。

無明的心火，
將來只是燒焦了自身！

(30)

牆外

牆外的騎驢者呀！
晨光柳下的遠征，
比夕陽橋上的旋里
常別饒風味吧？

戀愛

戀愛是什麼？

快樂？
是苦中的甜！

煩惱？
是甜中的苦！

寄內

孩子，是我留給你的安慰者；
你不要因爲想我打他斥他，

你要因爲想我抱他吻他！

火螢

黑暗中，
火螢在草上花間一閃一閃的飛，
草照得翠綠了，
花照得血紅了，
小孩們拍着手叫「星兒哥哥」：

(33)

她仍是一閃一閃的飛，
也不知尋找的什麼？

小魚兒

小魚兒們，
太孩氣了！
在這樣澈底澄清的水裏，
幹什麼還你藏我躲的？

(34)

鬧水

你們無留戀的滾過了，
從什麼地方來？
到什麼地方去？

你們那嘩嘩的音聲中，
有哭的也許有笑的。

你們誰都不肯思索，
是前引後推的勢力難容緩嗎？

自然

自然啊！
我在什麼地方能遇見你？
眞是羨慕煞我！

草木，
　春天萌芽，
　夏天開花，
　秋日結果，
　冬日乾枯。

鳥兒，獸兒，

羽毛美麗，
歌啼動聽，
來來往往，
接尾育化，
日日經營。

人，

(38)

小孩子—大丈夫—老頭兒，
　綠髩婆娑，
　白髮盈握。

青山矗立着，
綠水長流着，
蔚藍的天，
蒼茫的地，

(39)

一日復一日，
一年復一年，
這篇文章無斷絕，
這種音樂無休歇。

自然呵！
我明白了：
天晶日麗，

(40)

便是你笑；
疾風暴雨，
便是你惱；
花是你的面，
雲是你的衣，
無始無終是你的壽命，
上下四方是你的身體：
什麼不受你的包羅？

(41)

何處沒有你的靈魂？
我愛自己，
愛萬物，
便是與你接吻，
與你結婚。

水

閘那邊的水，

(42)

竭力向閙這邊流，
把兩旁的石頭全鑽成了窟窿。
水到了一塊兒時，
方嘩嘩的跳着脚笑，
靜靜的擕着手游，
還密密的對着面說：
「咱們是兄弟，
永遠不分離！」

有趣

人不是喜歡嘗新嗎？
努力向前吧，
一生沒有半件事是第二次遇見的。
棄舊不是痛快事嗎？
不要向後看，

(44)

過去的事全是脫下的破殼子。

蜂

蜜蜂：
若是想找花兒的伴侶，
你爲什麼飛到屋裏？
你碰着窗子嗡嗡的叫，

可是相思的歌調？

我放出你去，
祝你一路平安，
與花見永久留戀！

贈世人

柳絮呀！

(46)

你眞重嗎？
多大風也吹不到你天上去，
只是忽上忽下！

閃閃的星光照着行人，
虛幻的夢境困住睡者，
這正是一天的夜間！

(47)

太陽與萬物將別了，
紅潤潤的顯出微笑，
似乎說：「明日相見，
看你們長進多少！」

老鴰

老鴰很早的就啦啦的叫，討人厭；
但總是因為他醒的早。

(48)

他自己醒的早還不算，
又要把旁人全叫起來！

時候

颳了好幾天春風，
天氣要趕上冬日那樣冷；
人們有生火的，有穿皮衣的，
草木的芽子却拚命的往外鑽，

她們說：「到時候了，
不能怕冷！」

月份牌

我們把他天天扯一張，
他就永遠是新的；
我們若好幾天不扯他，
他就不適用了！

(50)

痴想

（二）

月亮呵！

她——最美的，

一定常望你；

怎麼不映出她的笑容或愁態，

讓我看看？

（二）

星兒呵！
你們一點一點的那樣明，
怎麼不聚在一塊兒，
當月亮正暗的時候大放光彩？

她

(52)

她默默的想，

微微的笑，

搖着手向我道：

「不用忙，

容我們細商量！」

（二）

熱鬧中我總忘不了她是我的愛者，

寂靜中我又想起她是社會的一分子了。

在熱鬧中幫助她，
在寂靜中尊重她，
她大概不說我是「色情狂」吧？

(三)

她轉過身來一笑，
緋紅的雙靨好似醉了酒，
身如弱柳一般撲到我的懷裏。
這時

精神與精神恣意去接吻吧，
低聲密語不太莽蹩嗎？

秋夜

霎霎的細雨洒碎了我的心，
戛戛的雁聲又把我的心懸到空中，
孤淒的滋味，
在不眠的夜間漫漫咀嚼！

憶舊

晚春早晨的天氣，
溫和中帶點涼意；
忽然想起往年的一樁舊事：
拾桃花
裝小匣，
和姊妹

(56)

說笑話。

農夫

農夫搬棹似的澆園，
我們過河似的走着麥壟，
　舉目四顧，
　　全是綠汪汪的苗兒—
我們忘了農人的勞苦，

直嚷是「天然的美景！」

雨後

淡雲籠罩着藍天，
微風吹拂着絲柳，
一羣小學生
鼓掌
歡呼

(58)

跳躍

到操場去籃球：

這是初秋的雨後。

小雨後，

操塲上白灰的

橫線

豎線

曲線
全更鮮明了！
太陽在薄雲裏露出溫和的笑容，
似乎對學生們說：
你們好好的玩兒罷了，
何必畫上這些界限！」

瘋狂的心

瘋狂的心和我說：
「你看那囚犯：
蓬鬆着髮兒，
低垂着頭兒，
抗着枷兒，
帶着鐐兒：
有多麼雅秀？
有多麼溫柔？」

瘋狂的心和我說：
「你看那老虎：
披着花麗的毛皮，
在籠內走來走去：
有多麼婀娜？
有多麼幽閒？」

(62)

愛

(一)

青春之野，
　紅的，粉的，藍的……………花，
　　開出各種的様式，
　　放出不同的芳香。
我們把伊等掐下來，踐踏了，
　固然不是愛；

(63)

但把伊等插在瓶中，供在屋裏，
　也不算愛，
　　因爲過幾天伊等就萎敗了！

我們雖然不知道伊等的名字，
　也可以盡力的去灌溉；
　見了時，對着伊們笑，
　不見時，心裏只是溫存着，

(64)

這才是眞愛呢！

咳！
我努力也教我的生命開了花，
　用柔和的笑容，
　　芳香的氣息，
　　　美化了人類的紛爭，
這不更是眞愛嗎？

愛，
只是同情，
只是努力！

（二）

小弟弟下學了，
放下書包就拍皮球。
她停針看了看窗上的日影，

(66)

同身只呆呆的微笑着……

（三）

白菜畦上跑着一個穿紅衣的小孩，
後邊穿藍褂的大概是他的媽媽。
她並不拉着他，
但是緊跟着……………

小孩子

（一）

我問道：「你爲什麼哭呢？」
小孩子說：「沒有錢打燈油，
今夜見不着我媽了！」

（二）

小孩子們的淘氣，
往往成了後日
迴憶的甜味，

(68)

幻想的妙影！

（三）

小孩子說：「我向坐紅轎來的新人叫什麼？」

媽媽說：「叫姐姐！」

但他在有人時叫「姐姐」，

她就紅了臉；

他在無人處叫「姐姐」，

她就打他，
打了他，她却又哭了。

（四）

小孩子說：「人家全有爸爸，
我怎麼沒有呢？
今天買糖的錢不要了，
你給我買一個去吧！」

媽媽把他抱在懷裡，

(70)

吻了又吻，眼淚滴滴的流，
告訴他說：「你也有來，但是………

母親

母親怎樣安慰她的小孩兒呢？
懷抱中，
嗚嗚聲，
將盡的奶水，

無限的眼淚。

了解

人人全帶着萬惡的獸性；
古今的聖賢們，
　又在彼此中建築了
　　好些堵隔別的厚牆；
了解那能夠？

(72)

同床的夫妻全是仇敵！

花

瓶中的花開得才好看呢，
怎麼這般鮮艷哪！
快給她換換水吧。
一日——二日——三日——
花色淡了，

小詩

（一）

瓣落了，
葉下垂了，
咳！怎麼這般討厭哪！
快扔了她去吧。
花自己說道：「這一年的事算完了！」

(74)

挺生在田野的梅花，
他是報春信的！

（二）

傲寒的菊花，
怎麼也供在暖閣的几上？

（三）

淤泥中出來的荷花，
卻很潔白清香！

傻話

（一）

假如只向一人哭，
　這幾年的眼淚，
也把她那如鐵的心浸軟了。

假如只向一人笑，

(76)

這幾年的媚氣，
　也把她那如冰的心熔化了。

愛情一罐子不要用，
　把牠埋在深深的地層中，
　　千百年後怕比金剛石還貴呢！

（二二）

雨洗過的大地潔凈了，

淚洗過的社會怎麼還是污穢的？

火烤過的東西熱了，
愛烤過的人類怎麼還是冷的？

滿世界去找，
盡一生的歲月去找，
誰能把神秘的心剖開，

(78)

讓人看個清楚？

我妻的話

（一）

「你說我不知道結記你；
我自幼沒了媽，
孤獨慣了，
你又比我大些，

還不該担待我！」

「孩子們終日纏繞，
所以咱們沒什麼親近的機會；
但他們的纏繞，
不是你我的安慰嗎？」

(89)

你又不常在家，
　他們念叨你的時候，
　　倒添我許多煩惱！」

（二）

「我聽着你睡得怪香的，
不肯叫醒你；
晨鐘已打了，
我又不能不叫你；

你為我們的衣食，
晚睡早起；
我們能給你的，
只是發愁生氣！」

月亮

月光把花木的形狀描在地上，
一會兒變變方向，

(82)

一會兒改改長短，
最後索性抽身到天外去，
地上的圖畫也糢糊不見了！

自責

「你沒有知識，
不能聯絡，
爲着衣食，鄉黨的稱譽，

到處受人的淩侮，
低聲下氣，喪失了人格！」

夢

我夢中遇見了一個極平常的人，
忽然曉得是女的，
便覺着美得多；
因爲有拿她當玩物的希望了！

(84)

什麼關係？

蜂兒撲着翅兒說：
「你是我的再生母！」
花兒顫着瓣兒說：
「我那能救苦，
只當了你的玩物！」

愛情

愛情譬如素絲白紙，
是極純潔的，
但最容易汚穢了！

柳絮

飛遍了天涯，
那是可以存身的地方？

(86)

強把這整千萬億的種子埋下，
將來能出幾棵樹？

渴慕

我現在第一的希望，
就是回到「自然的故鄉。」
世間一切猜忌，陷害，蹂躪，驕傲，
全變成了夢影，

最惡毒的敵人也相抱Kiss着！

寄友

盼着你來，
你永是不來！
怕你不來，
你眞不來了！
這有什麼法子呢？

(88)

再等以後的機會吧！

孤獨者

那是我的歸宿？
望着天涯，
指着海上！
誰是我的伴侶？
擦着眼淚，

對着影兒，

雪

呵！

這無數潔白的雪花，

全是從高高的天上下來的！

他們明知到下邊必化成泥水，

(90)

但是不怕，
　用加倍的速度往下跑！
他們必定說：
「地上得不着相當的滋潤，
　不能長養萬物，
我們不下去怎麼着？」

他們又說：
「當初我們也全是從地面蒸發上來的，
無論如何那能忘了故鄉？

雪呀
你們很像俄國的知識階級，
能作「到民間去」的大事業！

(92)

子

私生子！
無怪乎你聰明，和平，
你是愛情的結晶！

公生子！
無怪乎你愚拙，暴戾，
你是出強姦產的！

私生子！
你是愛之神，
惟有你當了主人翁，
世界上才能永久安寧！

公生子！
你是亂之因，

(94)

世界上若不去了你，
人類那能不互相仇視！

消受

柳枝兒嫋娜，
草芽兒溫柔，
天氣又總是氤氳着，
愛情沒有歸宿的我——

年關，
追的是窮人的命，
增的是富人的錢。

（二）

今日無雲，
明日無雲，
農人心內結愁雲。

(96)

附錄

歌

（一）

年關，
窮人恐怕到了，
富人盼着到了。

年關，
窮人的東西賣淨了，
富人的利息收足了。

年關，
窮人的淚哭乾了，
富人的心笑裂了。

(98)

怎樣消受？
那能消受！

末尾的話

很湊巧的遇見了，
又匆卒的分離咧，
無緣也還可說，
偏連個面容兒都想不上來！

今日不雨，
明日不雨，
農人淚下如雨。

今日愁，
明日愁，
官家催稅氣如牛。

(100)

今日哭，
明日哭，
農人生命等於猪。

謠（一）

紅萍果，

綠糖人兒，
不要吃，
拿着玩兒。
你也看，
我也看，
一把捏了個稀糊爛。

(102)

粘上吧，
扔了吧，
拾掇拾掇吃了吧。

（二）

哥兒妞兒不要你，
回家去找貓和鷄。

雞飛咧，
貓跑咧，
把個孩子氣哭咧。

詞

（一）

綠草兒布滿了荒郊，

(104)

粉花兒開徧了樹稍，
畫樓一角，
佇立阿嬌。

（二）

懷着熱望去遊春，
踏遍了軟草，
數盡了芳林，
對着一灣流水細沉吟。

歸來何所得？
一闋柔情心上存；
無法遣，
最難禁，
滲透了全身，
酥醉了靈魂！

（106）

題目	頁數	行數	訛	正
潘序	二	五	為人	人為（倒）
仝上	二	七	所	來
仝上	三	二	來	他
仝上	五	二	傳下增給	
仝上	五	四	體下增的　慢下增的	
沈序	六	五	逼下增我	
仝上	六	六	而上減的	
野火	一	三	熖	焰
仝上	二	四	生下增命	

仝上	八	七	？	！
仝上	十一	二	的下增也	
仝上	十八	五	？	！
安慰	二十一	八	不上減全	
告別	二十六	一	興	與
瘋狂的心	六十一	六	鐐	鐐
愛	六十三		掐	搯
詩意	九十九頁接九十五頁		九十六頁接九十八頁	
	一百頁接九十六頁			

（2）

中華民國十二年十月出版

著　　　野

發行者　三塊協

印刷者　京華印書

分售處　保定育德中學
販賣部，北高師，高師
八，女高師，燕
號房

花木蘭文化出版社聲明啓事

此次《民國文學珍稀文獻集成》出版，有賴各位作者家屬大力支持，慨然允贈版權，遂使這巨大的文化工程得以開展。我社全體同仁在此向各位致以誠摯的謝意！

由於民國作者人數眾多，年代久遠且戰火頻繁，許多作者已無從知其下落。我社傾全力尋找，遍訪各地，能夠找到的後人，得其親筆授權者，爲數甚寡。更多的情況是，因作者本人下落不明，連版權情況都無從知曉。

因此，我社鄭重聲明：

此叢書所錄專著，凡有在版權期內而未授權者，作者家屬可與我社聯繫，我社願奉送相關贈書 50 冊爲報酬，補簽授權協議。

叢書第一輯，版權不明作者名單如下：

李寶樑、朱采眞、黃俊、汪劍餘、ＣＦ女士（張近芬）、王秋心、王環心、謝采江、曼尼、歐陽蘭、陳�、沙剎、卜弋雲、陳志莘。

望以上作者之家屬看到此通知後與我社聯繫。

聯繫信箱：hml@vip.163.com

花木蘭文化出版社

2016 年春

夢痕

謝采江 著

明報社（北京）一九二六年一月出版，原書四十八開。

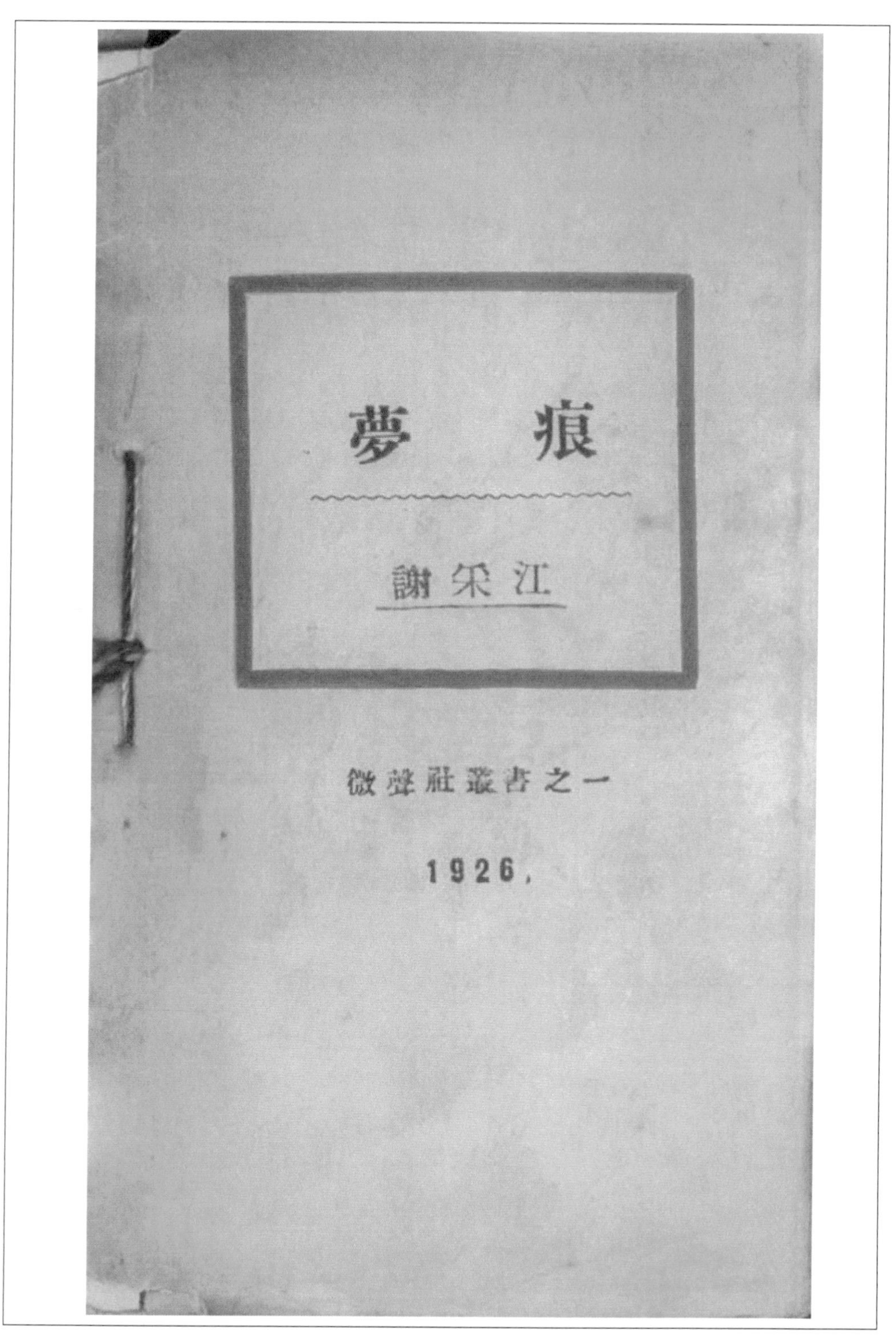
夢　痕
謝采江
微聲社叢書之一
1926.

題　詞

1

夢兒如果是甜美的，
可千萬不要醒啊！

2

詩人的眼淚，
澆不滅他的情火；
詩人的情火，
燒不乾他的眼淚！

3

我正正重重的寫出來，
他笑笑嘻嘻的念下去，
本是血紅的字兒，
變成冷灰的痕跡！

1

1

還是預備結婚的一捆花兒，
我抱着向山邊雲深處去啵！

2

老婆兒在老頭兒的眼中，
還是一個美人兒呢！

3

看！
深夜間一顆一顆的星兒，
數也數不清。

4

「你爸爸什麼時候回來？」
她忍住眼淚問孩子。

5

我愛！
這麼點安慰都不肯給嗎？
——胸前片時的貼附。

6

固然是一夢啊，

誰不願笑微微的作呢？

7

假如當她是死了，

那就連嗔怒也可紀念！

8

離家沒有趕上火車，

我便又驚又喜的往回走。

9

蜂兒帶着蜜飛了，

花兒在風中搖曳…………

10

月芽兒是一個水晶舟，

在薄雲上浮來浮去。

11

愛人！

3

你撮起口笑着吹我一下，
已抵過千萬句溫柔的話兒。

12

溫柔閑靜的雲，
冷風吹得她變成雪花兒了！

13

將放的海棠花兒籠着輕霧，
好酣睡的姑娘啊！

14

吾們都是在黑暗中找道路的，
你擠着我我碰着你的時候，
誰也不必嗔怒啊！

15

涓涓的泉水呀，
我盼望你流到海裡去！

16

好容易哄得小孩睡着了，

我們可親熱親熱吧！

17

　躲開不好嗎？

見了面也是沒話說！

18

　朋友！

要用你那心靈的燈兒，

我自己應走的道路。

19

　淺碧的浪兒在春風中跳舞，

波喲！波喲！波喲！

20

　你要什麼？

　我有什麼？

只是彼此一笑啵！

21

　你要看看我的心嗎？

5

大洋中，危波擁着落日呢！

22

她笑對着半開的花兒——
心中只是跳啊！

23

姑娘啊！
我願意只在夢中見你！

24

月明如許，
樹影兒又上窗了；
不知她這時是睡着還是醒着？

25

野火，只合在亂草上燒着！

26

我的心是個清幽的小山洞，
這裡只一位合掌微笑的venus。

27

妣低着頭推開我說：
「你臨走的時候，
不用親熱吾！」

28

咱倆全是孩子——
你哄着我，
我哄着你。

29

倚定井欄，整理髮髻的姑娘
你知道我的心是怎樣顫動啊？

30

月亮藏在雲後了——
無人知的愛呀！

31

哭一場啵，
把自己的眼淚，
滴在海綿似的心上。

7

32

吾的歡喜在回家以前，
煩惱在到家之後。

33

我願意冷面向人嗎？
溫和氣都化作心中的淚了！

34

靈魂在軀殼裡藏着，
單等人們不留意的時候
向外探望。

35

一樣的生了綠芽兒，
伐下的樹枝子
便扔在泥溝旁。

36

樓頭獨立，
輕風吹來，

8

低聲念道：「含愁對晚晴！」

37

只是自己咀嚼吧——

說不出的苦滋味！

38

一根游絲繫住了你和我，

唉呀，怕終久要斷了吧？

39

最難離別喲——

病葉依寒枝。

40

清明了，

一步一步向着墳墓走的人哪！

你是要哭死者去嗎？

41

春意滿懷的人兒呀！

你覺着世間一切都是冷的吧？

42

聽啵，
這冷冷的聲音，
是你我的心泉正在交流呢！

43

問得我沒話說，
伏在她的懷中笑了！

44

眼裡含着淚珠，
看那小孩兒們的跳舞。

45

呵！
這園中可愛的花兒多了，
就在丁香樹下徘徊吧。

46

春風在花香中認識了自己。

47

10

今春的蜂兒
還要找去年的花朵嗎？
真是癡絕！

48

大家一鬨而散走出了戲園，
你瞧我，我瞧你，
都像無依無靠的。

49

天以外還有家嗎？
我呆望着那飛入雲中的燕子。

50

說到人類的罪惡，
我便深深的低頭了！

51

哈哈哈哈，
嘻嘻嘻嘻，
充滿了虛僞的笑呵！

11

52

她把小孩兒送到我懷裡，
笑着說：「抱抱乖乖啵！」

53

海濱上
朦朧的月兒照着，
咱倆緊緊的摟定——
細聽海波的密語。

54

憔悴的詩人哪，
飲一飲「人生」的乳汁吧！

55

誰享過這樣的奇福呢？
「萬花叢中看月明。」

56

蜂兒說：「你聽聽我的歌兒吧，
花兒說：「你看看我的面龐兒吧，

愛之神在空中笑了。

57

　西方的天空

桃紅色兒漸漸變成銀灰色兒了，

日頭，便落在那雲深處。

58

　孩子們仰着頭望我，

是我最膽怯的時候！

59

　他眞是瘋了！

一邊背着太陽跑，

一邊罵眼前的黑影子。

60

　我何嘗不怕煩亂？

爲着麻醉的安慰，

只得反來覆去的想啊！

61

13

女伶為了引起叫好的聲音
才向台下的看客們笑一笑。

62

波浪華拉——碰在石頭上了，
橋上的游人說：「嘿！真有趣！」

63

女郎笑着抓起一把花片走了，
我說：「飽背何必保存呢？
把她的影子留在心裏吧！」

64

恐怖把我們那相爭的迷夢驚醒，
我們就在這憂患中相愛着。

65

她微笑着用手招我，
我顛狂地跑了去，
她又嗔怒了推開我，
美麗而又毒狠的命運之神啊！

66

親愛的，
快來接吻吧！
不然，靈魂要從唇邊跑去了！

67

生前聽夠了譏笑聲，
死後才有人來讚頌呢！

68

吻着花朵的人喲，
你的噓氣太熱了！
花漸漸的垂下頭去……

69

上帝啊！
別再給我們相見的機會咧，
一次不如一次——
笑——惱——哭了！

70

15

高歌嗎？——不敢；
只唱自己能聽見的調子吧！

71

同調者呀！
爲着你，我厭惡那一切的人們。

72

喜歡的面目讓人看，
憂愁的心事向誰訴？

73

懷中揣着栗子的人哪！
你總一個一個的投到圈子裡，
戲弄你的祖先——猴子！

74

我不敢放開步走了，
蒺藜已經刺破了脚心！

75

明天也許有個好消息吧？

16

結婚的人這樣夢想着。

76

擁抱住情人兒的孩子，
只是端詳他的面龐……

77

她不歸爲你所有，
才是永久的戀愛者呢！
孤獨的青年知道嗎？

78

傍着桃花立一時
也是幸福，
但蜂兒蝶兒不嫉妒我嗎？

79

無情的大雨潑下來，
道路上的人東奔西跑，
你們全是有家可歸的嗎？

80

17

假如她心目中只有你，
決不等着百般的要求！

81

楊葉兒翻翻，
日光兒閃閃，
是小時野游的印象啊，
却在何地何年呢？

82

星星是「自然」的淚珠吧？
灑在了藍色的衫上。

83

紗帳中高臥的人總是說：
「熏蚊子幹什麼，怪饞的！」

84

用力的說吧，笑吧，
人生的稀薄，綿遠的苦味，
全要在這裡邊細嘗………

85

烏雲中透出來的日光
分外的亮啊！

86

誰有本來面目呢？
全是鏡中的喜怒悲歡哪！

87

黑暗的陰影啊！
你能佔據空間，
却把持不住時間！

88

你細看吧，
那個青翠如豆大的小島，
是在浮光耀金的海水裡浸着呢！

89

勇敢的飛蛾說：
「努力地向着火撲呀，

死了也榮耀！」

90

孩子們在作夢的時候打架，
醒過來又是親愛的兄弟了！

91

最惡毒的敵人，
是極可憐的待救者！

92

詩人說：「我是從「自然」處來的，
遠行的旅客們，
不問問家鄉的消息嗎？」

93

戲臺後面的忙亂，
看客們是不管的！

94

最美妙的丰神，言論，
只在社交場中遇見！

95

人們的心泉若全溝通了，
世界就變成「香水海」，
裡邊滿開着大蓮花！

祭　詩

春意闌珊了，
片片的花瓣兒落在泥溝裡；
詩句變成柳絮啵，
好風兒吹你到天涯去！

十三，七，二十八，脫稿。

21

96

跳上岸來，
才想起了溫柔，
我回頭望着碧波笑！

97

摘下了鮮花還不算，
又必定揉搓壞了，
淘氣的孩子呀！

98

獨自徘徊，
是我不着伴侶呀，
旁人還嘻嘻的笑我！

99

繁音促節的白楊，
低聲默泣的細柳，
繫住了草場上彳亍的我。

100

塞雁高高飛，
黃葉飄飄下，
問西風——
這是一樣淒涼不？

101

嫦娥太孤高了！
清冷的晚秋夜，
才自逞明媚呢。

102

想念他的言語，
怕看他的照片，
——別離後。

103

遠山青，
夕陽紅，
歸鴉點點更關情。

104

23

醒後依依不願動，
還想夢中的情節。

105

微塵都一層層披着七色的寶衣，
在日光中飛舞。

106

她定睛看我時，
我便成了俘虜了。

107

病人的呻吟，
也可當小兒的催眠歌麼？

108

驚魂的槍砲聲，
隔斷了關心的消息。

109

怎樣收住離人的眼淚呢？
——漫定一个歸期。

24

110

真正不知前途茫然麼？
隨着波浪去的黃葉兒！

111

孩子們嘛娘麼？
這也許是愛情的責罰！

112

無限的情曲，
就在這微笑的注視中麼？
雙手握着花兒的女郎！

113

最可怕的是哭聲，
尤其是小孩兒的哭聲啊！

114

孩子責備他的母親說：
「不是你養活的麼？
你不扶侍我們！」

25

115

我的小女兒告訴我：
「你看這个黄樹葉，
凍得抱起肢兒來了。」

116

我誠懇的對她說：
「藝術之宮，
是你幫着我敲開的，
我更願意和你一同走進去！」

117

天地震怒了，
好大的風呵！
日頭都嚇白了臉。

118

風雨中，花兒還放香呢——
她是正念着離外的蝶兒。

119

26

和照的陽光，
惟有早起的人才知道。

120

關不住的詩思呀，
瀑布似的奔流吧！

121

聽人講着遠方的湖山，
我便夢魂顛倒；
眞的去遊吧？
也不必！

122

半夜醒來，
聽壺中的水聲嘶嘶……
知道爐火還沒有滅呢。

123

詩人說着夢話，
才把孩子引笑了！

27

124

遊行在春日的大道上，
看着前邊騰騰的陽氣兒，
是何等的壯闊，高興呵！

125

危險的道路，
是有胆子的人走的；
讓那怯懦的人們，
在黃昏的山坡上坐着吧！

126

遺忘的事兒再想起來，
有多麼可喜呀？
愛，是人們早已忘了的！

127

春意這般催人哪，
柳枝兒一天比一天綠了！

128

春風慢慢地吹吧，
花兒抿着嘴笑呢！

129

一想到花片兒落下的狼藉，
便情願拒絕了溫柔的春風！

130

蝶兒還是藏在山谷中罷，
永遠作著芳菲燦爛的夢！

贅　言

旮了一天的麻煩事，
臨去的時候
才紅了紅臉，
能容忍的太陽呵！

十四，三，四，脫稿。

29

書目介紹

野火　謝采江著　三角

曉風　張秀中著　一角五分

從深處出　甄升平著　印刷中

婚後生活　賀天民著　再版中

歐兒拉　張秀中譯　印刷中

一九二六年一月出版

一册一角五分

著者　謝采江

總售處　北京　明報社

印刷者　北京　永華印刷局

代售處　晨報社北新書局北大號房及各省大書局